ERIK SATIE/TORU TAKEMITSU
LE FILS DES ÉTOILES
—Prélude du 1er Acte 'La Vocation'—

for flute and harp

SJ 1067

Harp

フルートとハープのための《星たちの息子——第一幕への前奏曲「天職」》は、エリック・サティによるピアノ曲からの編曲である。

本編曲版の初演は1975年12月17日東京で、小泉浩(フルート)と木村茉莉(ハープ)によっておこなわれた。

演奏時間—— 5 分

"Le Fils des Étoiles—— Prélude du 1er Acte 'La Vocation'——" for flute and harp is the transcription for flute and harp by Toru Takemitsu on a solo piano work by Erik Satie.

The first performance was given by Hiroshi Koizumi (flute) and Mari Kimura (harp) in Tokyo on December 17, 1975.

Duration: 5 minutes

Harp

Le Fils des Étoiles

Prélude du 1er Acte 'La Vocation'

Erik Satie

arranged by Toru Takemitsu

Pâle et hiératique
Harm.
pp
dolce
dolce
poco rit.
mf
p
pp
poco
poco rit.
Fa♮ pp
Si♭
Sol♭
La♭
Si♮
Sol♮
mf
La♮
Si♭
Fa♯
mp
p
pp

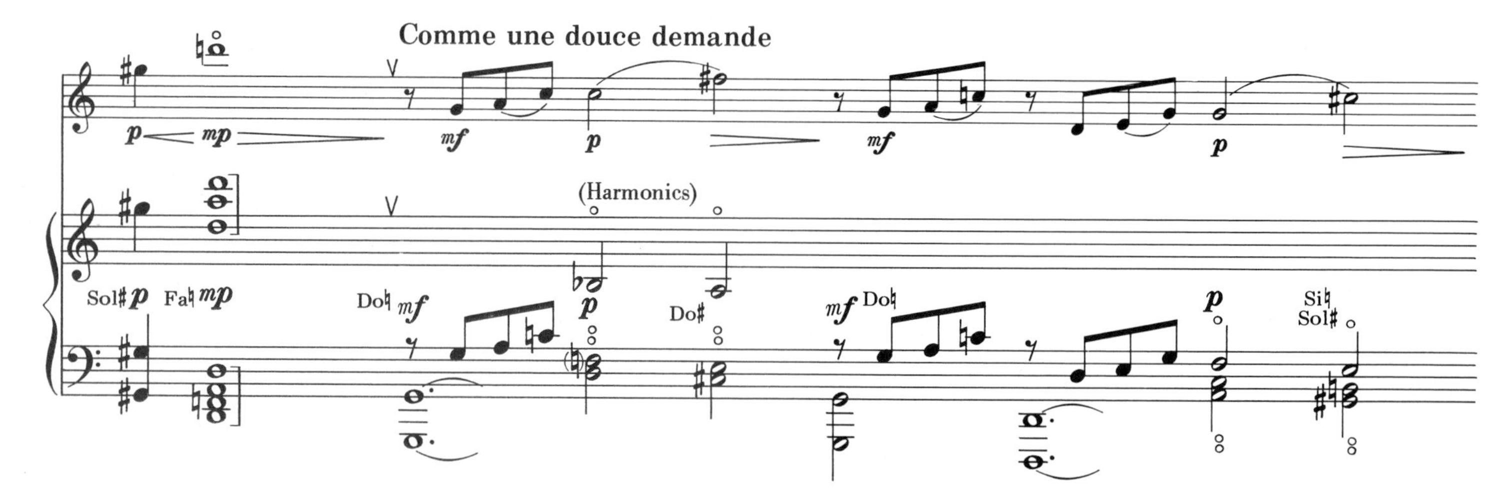
Comme une douce demande
p
mp
mf
p
mf
p
(Harmonics)
Sol♯ p
Fa♮ mp
Do♮ mf
p
Do♯
mf Do♮
p
Si♮
Sol♯

mf
p
poco
mf
p
poco
mf Sol♮
Si♭
p
Do♯
mf
Do♮
p
Si♮
Sol♯

Toujours
mf
p
poco
mf
p
mf
Sol♮
Sol♭
p
Do♯
Fa♯
mf La♮
p
La♭

エリック・サティ／武満 徹

フルートとハープのための

星たちの息子

―第一幕への前奏曲「天職」―

ERIK SATIE/TORU TAKEMITSU

LE FILS DES ÉTOILES

—Prélude du 1er Acte ‘La Vocation’—

for flute and harp

SJ 1067

Flute

Flute

Le Fils des Étoiles

Prélude du 1er Acte 'La Vocation'

Erik Satie
arranged by Toru Takemitsu

Toujours
mf
p
poco
mf
p

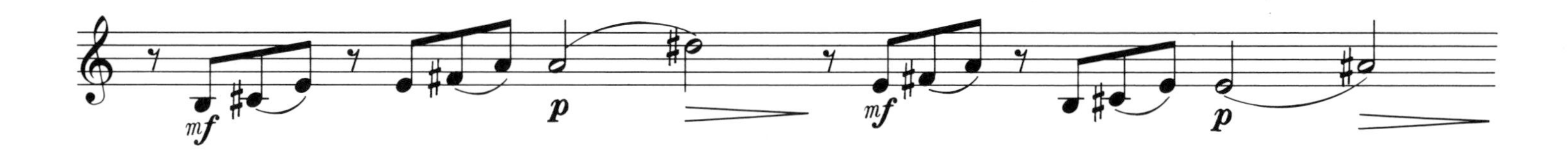
mf
p
mf
p

Précieusement
mf
ff
f
ff
f
sub
(mf)

poco rit.
Pâle et hiératique
mf
p
pp

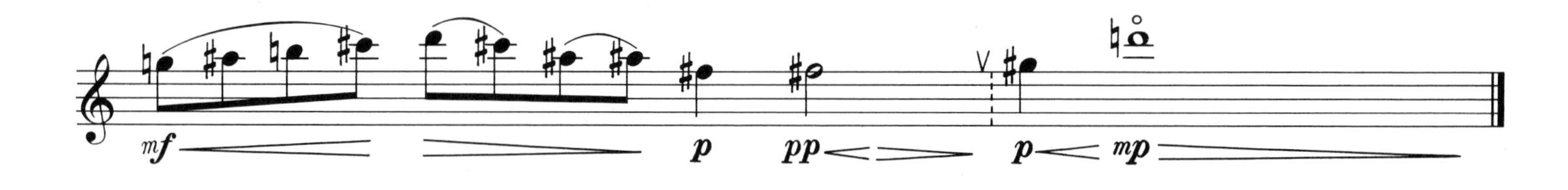
mf
p
pp
p
mp

Fa♮
La♮
La♯
La♮
Fa♮
La♭

Précieusement
Fa♯
La♮
Sol♮
sub.
(mf)

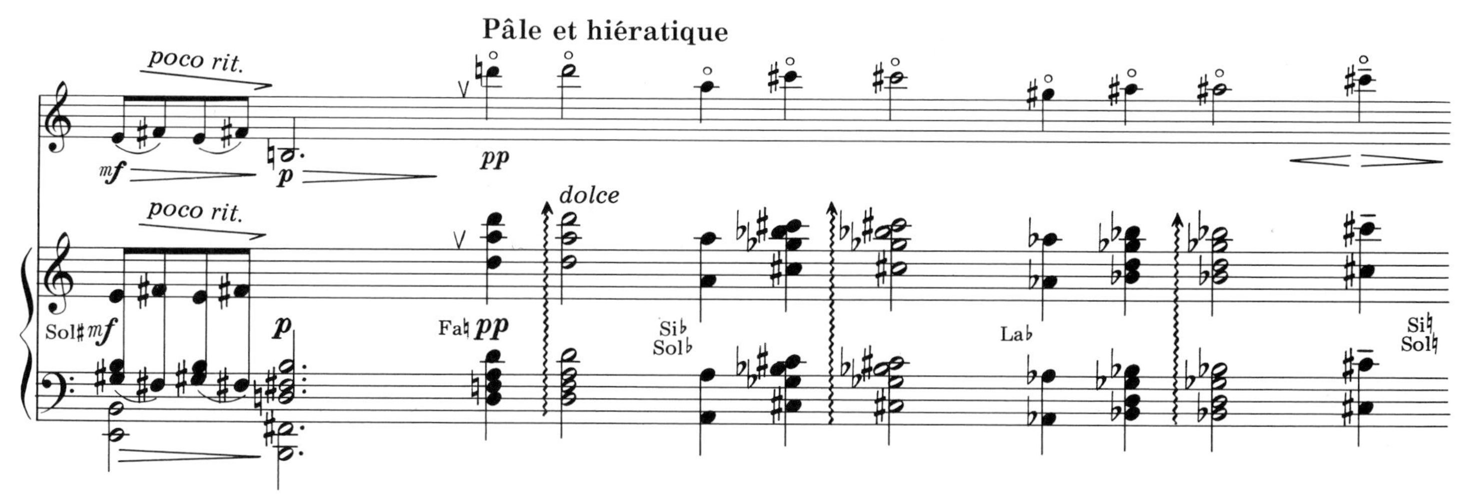
Pâle et hiératique
poco rit.
poco rit.
dolce
Sol♯
Fa♮
Si♭
Sol♭
La♭
Si♮
Sol♮

La♮
Si♭
Fa♮
Sol♯
Fa♮

エリック・サティ／武満 徹《星たちの息子》 ●
フルートとハープのための
初版発行――――――――――――――――――――1992年5月15日
第1版第3刷③――――――――――――――――――2006年2月6日
発行―――――――――――――――――――――――日本ショット株式会社
―――――――――――――――――――――――――東京都千代田区飯田橋2-9-3 かすがビル2階
―――――――――――――――――――――――――〒102-0072
―――――――――――――――――――――――――(03)3263-6530
―――――――――――――――――――――――――ISBN4-89066-367-3
―――――――――――――――――――――――――ISMN M-65001-104-4

現代の音楽
MUSIC OF OUR TIME

FLUTE／HARP

武満 徹 — Toru Takemitsu (1930-1996)

エア
Air
for flute . . . SJ 1096 . . . 945 円

巡り －イサム・ノグチの追憶に－
Itinerant *-In Memory of Isamu Noguchi-*
for flute . . . SJ 1055 . . .1050 円

海へ
Toward the Sea
for alto flute and guitar. . . SJ 1007 (performing score) . . . 1575 円

海へ III
Toward the Sea III
for alto flute and harp . . . SJ 1049 (performing score) . . . 2310 円

星たちの息子 －第一幕への前奏曲「天職」－
Le Fils des Étoiles *-Prélude du 1er Acte "La Vocation"-*
Transcription for flute and harp of a solo piano work by Eric Satie
. . . SJ 1067 (score & part) . . . 1575 円

細川俊夫 — Toshio Hosokawa (1955-)

線 I
Sen I
for flute . . . SJ 1076 . . . 1785 円

垂直の歌 I
Vertical Song I
for flute . . . SJ 1105 . . . 1050 円

鳥たちへの断章 III
Birds Fragments III
for shô and flutes (bass flute and piccolo) . . . SJ 1146 (score & part) . . . 2415 円

回帰 II
Re-turning II
for harp . . . SJ 1133 . . . 2100 円

河のほとりで
Neben dem Fluss
for harp . . . SJ 1134 . . . 1575 円

一柳 慧 — Toshi Ichiyanagi (1933-)

時の佇(たたずま)い IV －武満徹の追憶に－
Still Time IV *-In Memory of Toru Takemitsu-*
for flute . . . SJ 1112 . . . 735 円

忘れえぬ記憶の中に
In a Living Memory
for flute . . . SJ 1126 . . . 1260 円

時の佇(たたずま)い III
Still Time III
for harp . . .SJ 1131 . . . 945 円

夏の花
Flowers Blooming in Summer
for harp and piano (performing score) . . . SJ 1016 . . . 1890 円

湯浅譲二 — Joji Yuasa (1929-)

ドメイン
Domain
for flute . . . SJ 1002 . . .1050 円

舞働 II
Mai-Bataraki II
for alto flute . . . SJ 1043 . . . 1050 円

礼楽 －尹伊桑の追憶に－
Reigaku *-In Memoriam Isang Yun-*
for alto flute . . . SJ 1137 . . . 945 円

タームズ・オヴ・テンポラル・ディーテイリング
－D・ホックニーへのオマージュ－
Terms of Temporal Detailing *-A Homage to David Hockney-*
for bass flute . . . SJ 1062 . . . 1680 円

高橋悠治 — Yuji Takahashi (1938-)

チッ(ト)
Ji(t)
for flute and piano . . . SJ 1039 (performing score) . . . 1470 円

日本ショット株式会社
東京都千代田区飯田橋 2-9-3 かすがビル 2 階 〒102-0072
電話 (03) 3263-6530 ファクス (03) 3263-6672
info@schottjapan.com

SCHOTT JAPAN COMPANY LTD.
Kasuga Bldg., 2-9-3 Iidabashi, Chiyoda-ku, Tokyo 102-0072
Telephone: (+81) 3-3263-6530 Fax: (+81) 3-3263-6672
http://www.schottjapan.com

（定価には消費税 5% が含まれています。）